Band 1

Mary Pope Osborne

Im Tal der Dinosaurier

Aus dem Amerikanischen
übersetzt von Sabine Rahn

Illustriert von Jutta Knipping

Der Umwelt zuliebe ist dieses Buch auf chlorfrei gebleichtem Papier gedruckt.

ISBN 3-7855-3591-0 – 7. Auflage 2004
Titel der Originalausgabe: Dinosaurs Before Dark

Aus dem Amerikanischen übersetzt von Sabine Rahn
Umschlagillustration: Jutta Knipping
Umschlaggestaltung: Andreas Henze
Gesamtherstellung: GGP Media GmbH, Pößneck
Printed in Germany

www.loewe-verlag.de

Inhalt

Im Wald 11
Das Monster 17
„Wo sind wir?“ 26
Henry 33
Gold im Gras 40
Im Tal der Dinosaurier 50
Auf die Plätze, fertig, los! 61
Ein riesiger Schatten 68
Ein fantastischer Ritt 74
Wieder zu Hause 82

Im Wald

„Hilfe! Ein Monster!“, schrie Anne.

„Aber klar doch“, sagte Philipp, „ein Monster in Pepper Hill, Pennsylvania!“

„Lauf, Philipp!“, rief Anne. Sie rannte die Straße entlang.

Oh, Mann! Das hatte man davon, wenn man seine Zeit mit seiner siebenjährigen Schwester verbrachte.

Für Anne gab es nichts Schöneres, als sich ständig etwas Verrücktes vorzustellen. Aber Philipp war schon achteinhalb. Ihm waren Tatsachen lieber.

„Pass auf, Philipp! Das Monster ist hinter dir her! Komm, wir laufen um die Wette!“

„Nein, danke!“, antwortete Philipp.

Anne rannte allein in den Wald.

Philipp betrachtete den Himmel. Die Sonne ging schon unter. „Komm schon, Anne. Wir müssen nach Hause.“

Aber Anne war verschwunden. Philipp wartete. Doch Anne kam nicht.

„Anne!“, rief er noch mal.

„Philipp! Philipp! Komm schnell!“

Philipp stöhnte. „Wehe, wenn das jetzt *wieder* nichts ist!“, knurrte er.

Philipp verließ den Weg und ging mitten in den Wald hinein. Die Bäume leuchteten golden im Licht der untergehenden Sonne.

„Hierher!“, rief Anne.

Da war sie. Sie stand unter einer großen Eiche. „Schau mal!“, sagte sie und deutete auf eine Strickleiter.

Das war die längste Strickleiter, die Philipp je gesehen hatte.

„Nicht zu fassen!“, flüsterte er.

Die Leiter führte bis ganz hoch in die Baumkrone.

Und dort, zwischen den Zweigen, war ein Baumhaus.

„Das ist bestimmt das höchste Baumhaus der Welt!“, meinte Anne.

„Wer das wohl gebaut hat?“, überlegte Philipp. „Ich hab es noch nie zuvor gesehen.“

„Keine Ahnung“, antwortete Anne. „Ich klettere mal hoch.“

„Lieber nicht“, meinte Philipp. „Wir wissen ja nicht, wem es gehört.“

„Nur ganz kurz!“, sagte Anne, und schon begann sie zu klettern.

„Anne! Komm zurück!“

Aber Anne kletterte weiter.

Philipp seufzte. „Anne, es ist schon fast dunkel. Wir müssen nach Hause!“

Anne war mittlerweile in dem Baumhaus verschwunden.

„Anne!“ Philipp wartete einen Augenblick und wollte gerade noch einmal rufen, als sie den Kopf aus dem Fenster streckte.

„Bücher!“, rief sie.

„Was?“

„Es ist voller Bücher!“

Oh, Mann! Philipp liebte Bücher! Er rückte seine Brille zurecht, ergriff die Strickleiter und begann, flugs nach oben zu klettern.

Das Monster

Philipp krabbelte durch das Loch im Boden des Baumhauses.

Toll! Das Baumhaus war wirklich voller Bücher! Überall Bücher! Ganz alte Bücher mit staubigen Einbänden und neue Bücher mit glänzenden, bunten Einbänden.

„Schau nur, wie weit man von hier aus sehen kann!“, rief Anne und lehnte sich aus dem Fenster.

Philipp sah auch aus dem Fenster. Unter ihnen waren die Wipfel der anderen Bäume. In der Ferne sah er die Bücherei von Pepper Hill, die Grundschule und den Park.

Anne deutete in eine andere Richtung.

„Da ist unser Haus!“, sagte sie.

Tatsächlich. Da stand ihr weißes Holzhaus mit der grünen Veranda. Im Hof des Nachbarhauses sahen sie Henry, den schwarzen Hund des Nachbarn. Winzig klein sah er aus von hier oben.

„Hallo, Henry!“, rief Anne.

„Psst!“, machte Philipp. „Wir dürften bestimmt nicht hier oben sein.“

Er sah sich im Baumhaus um.

„Wem die Bücher wohl gehören?“, fragte er. Ihm fiel auf, dass aus einigen ein Lesezeichen heraussah.

„Das hier find ich gut!“, sagte Anne und hielt ein Buch mit einer Burg und Rittern auf dem Umschlag hoch.

„Hier ist auch eins über Pennsylvania“,

sagte Philipp. Er schlug die Seite mit dem Lesezeichen drin auf.

„Hey, hier ist sogar ein Bild von Pepper Hill!“, sagte er überrascht. „Es ist ein Bild von diesem Wald!“

„Schau, hier ist ein Buch für dich!“ Anne hielt ein Buch über Dinosaurier hoch. Ein blaues, seidenes Lesezeichen sah heraus.

„Zeig mal." Philipp setzte seinen Rucksack ab und nahm Anne das Buch aus der Hand.

„Du siehst dir das an und ich das über Burgen und Ritter", schlug sie vor.

„Besser nicht", meinte Philipp. „Wir wissen doch gar nicht, wem diese Bücher gehören."

Aber noch während er das sagte, schlug er das Dinosaurier-Buch bei dem Lesezeichen auf. Er konnte einfach nicht anders. Da war das Bild eines fliegenden Reptils, eines Pteranodons.

Philipp fuhr mit dem Finger die riesigen, fledermausartigen Flügel nach.

„Oh, Mann!“, flüsterte er. „Ich wünschte, ich könnte so ein Pteranodon mal in Wirklichkeit sehen.“

Philipp betrachtete das Bild des seltsam aussehenden Wesens, das über den Himmel segelte.

„Ahhh!“, schrie Anne.

„Was ist?“, fragte Philipp erschrocken.

„Ein Monster!“, kreischte Anne und deutete aus dem Fenster.

„Red keinen Unsinn, Anne!“, sagte Philipp.

„Wirklich!“, beharrte Anne.

Philipp sah aus dem Fenster. Draußen segelte ein gigantisches Tier über die Baumwipfel. Es hatte ein seltsames Horn am Hinterkopf, einen dünnen Schnabel und riesige, fledermausartige Flügel. Es war ein echtes, lebendiges Pteranodon! Es segelte über den Himmel, direkt auf das Baumhaus zu. Es sah aus wie ein Segelflugzeug.

Dann kam Wind auf. Die Blätter zitterten.

Der Saurier stieg immer höher in den Himmel. Philipp fiel beinahe aus dem Fenster, weil er versuchte, ihm mit den Blicken zu folgen.

Der Wind wurde stärker und heulte jetzt. Das Baumhaus begann sich zu drehen.

„Was ist denn hier los?“, fragte Philipp.

„Leg dich hin!“, rief Anne.

Sie zog ihn vom Fenster weg. Das Baumhaus drehte sich immer schneller.

Philipp kniff die Augen zu und klammerte sich an Anne.

Dann war plötzlich alles still. Totenstill.

Philipp öffnete seine Augen wieder. Die Sonne schien durch das Fenster. Anne, sein Rucksack und die Bücher – alles war noch da.

Das Baumhaus war immer noch hoch oben in einer Eiche.

Aber es war nicht mehr dieselbe Eiche!

„Wo sind wir?“

Philipp sah aus dem Fenster. Dann blickte er auf das Bild in dem Buch, dann wieder aus dem Fenster. Die Welt draußen vor dem Fenster und die auf dem Bild sahen absolut gleich aus.

Das Pteranodon segelte über den Himmel. Der Boden war mit riesigen Farnen und hohen Gräsern bewachsen. Ein Fluss schlängelte sich durch die Landschaft, Philipp sah einen Hügel und in der Ferne Vulkane.

„Wo ... wo sind wir denn?“, stammelte Philipp.

Das Pteranodon landete am Fuß des Baumes und saß ganz still.

„Was ist passiert?“, fragte Anne. Sie sah Philipp an, er sah sie an.

„Ich weiß auch nicht“, sagte er. „Ich habe mir dieses Buch angesehen ...“

„Und dann hast du gesagt: ‚Oh, Mann, ich wünschte, ich könnte so ein Pteranodon mal in Wirklichkeit sehen'", wiederholte Anne.

„Genau. Und dann haben wir eins gesehen – im Wald von Pepper Hill."

„Ja. Und dann wurde der Wind so stark, und das Baumhaus hat sich gedreht ...", sagte Anne.

„... und jetzt sind wir hier gelandet", sagte Philipp.

„... und jetzt sind wir hier gelandet", wiederholte Anne.

„Das bedeutet ...", sagte Philipp.

„Das bedeutet ... Was denn?", fragte Anne.

„Nichts", sagte Philipp und schüttelte den Kopf. „Das kann alles gar nicht wahr sein."

Anne sah noch mal aus dem Fenster.

„Aber es ist echt!“, sagte sie. „Sehr echt sogar!“

Philipp sah auch aus dem Fenster. Das Pteranodon saß am Fuß der Eiche. Wie eine Wache. Seine riesigen Schwingen hatte es zu beiden Seiten ausgebreitet.

„Hallo!“, rief Anne nach unten.

„Psst“, machte Philipp. „Wir dürften bestimmt nicht hier sein.“

„Aber wo ist ‚hier‘?“, fragte Anne.

„Keine Ahnung“, antwortete Philipp.

„Hallo, du!“, rief Anne dem Tier da unten zu.

Das Pteranodon sah zu ihnen hoch.

„Wo ist ‚hier‘?“, fragte Anne das Tier.

„Du spinnst ja! Das kann doch nicht sprechen!“, sagte Philipp. „Aber vielleicht steht ja in dem Buch etwas?“

Philipp sah in das Buch und las den Text unter dem Bild:

Dieses fliegende Reptil lebte in der Kreidezeit und starb vor 65 Millionen Jahren aus.

Nein, unmöglich. Sie konnten doch nicht in die Kreidezeit gereist sein!

„Philipp", sagte Anne. „Ich glaube, es ist nett."

„Nett?"

„Ja, ich merke das. Lass uns runtergehen und mit ihm reden!“

„Mit ihm reden?“

Anne kletterte schon die Leiter hinunter.

„Warte!“, rief Philipp.

Aber Anne kletterte weiter.

„Bist du verrückt?“, schrie Philipp.

Anne sprang auf den Boden. Ohne sich zu fürchten, trat sie auf diese uralte Kreatur zu.

Henry

Philipp hielt die Luft an, als Anne ihre Hand ausstreckte. Oh nein! Sie versuchte immer sofort, sich mit allen Tieren anzufreunden, aber das ging eindeutig zu weit!

„Geh nicht zu nahe an es heran, Anne!“, rief Philipp.

Aber Anne berührte schon das Horn des Pteranodons. Sie streichelte seinen Hals. Sie sprach auf es ein.

Was in aller Welt sagte sie da zu ihm?

Philipp holte tief Luft. Okay, dann musste er wohl auch runtergehen. Er könnte das Tier ja vielleicht untersuchen und sich Notizen machen – genau wie ein Forscher!

Philipp kletterte ebenfalls hinunter.

Er war nicht einmal einen Meter von dem Wesen entfernt.

Das Tier starrte ihn mit glänzenden, wachsamen Augen an.

„Es ist ganz weich, Philipp“, sagte Anne. „Es fühlt sich an wie Henry.“

Philipp schnaubte. „Das ist doch kein Hund!“

„Fass es doch selbst mal an“, forderte sie ihn auf.

Philipp bewegte sich nicht.

„Nicht nachdenken, Philipp. Tu’s einfach!“

Philipp machte einen Schritt nach vorn und streckte vorsichtig seinen Arm aus. Er streichelte über den Hals des Sauriers.

Interessant! Ein dünner Flaum bedeckte die Haut des Pteranodons.

„Ganz weich, nicht?", sagte Anne.

Philipp fasste in seinen Rucksack und zog sein Notizbuch und einen Stift heraus. Er schrieb:

weicher Flaum auf der Haut

„Was machst du denn da?", fragte Anne.

„Notizen", antwortete Philipp. „Wir sind bestimmt die ersten Menschen auf der Welt, die jemals ein lebendiges Pteranodon gesehen haben!"

Philipp betrachtete das Pteranodon genau.

Es hatte ein knöchernes Horn auf dem Kopf. Dieses Horn war länger als Philipps Arm.

„Wie intelligent es wohl ist?“, überlegte Philipp.

„Sehr intelligent!“, sagte Anne.

„Da wäre ich mir nicht so sicher“, meinte Philipp. „Sein Gehirn ist wahrscheinlich nicht größer als eine Erbse!“

„Nein! Es ist sehr intelligent!“, widersprach Anne. „Ich merke das! Ich werde es Henry nennen.“

Philipp schrieb in sein Buch:

kleines Gehirn?

Anne beugte sich zu dem Pteranodon hinüber: „Weißt du, wo wir hier sind, Henry?“

Das Tier heftete seine Augen auf Anne. Sein Kiefer öffnete und schloss sich wie eine riesige Schere.

„Versuchst du, mir etwas zu sagen, Henry?“

„Hat keinen Sinn, Anne“, sagte Philipp und schrieb in sein Notizbuch:

Schnabel wie Schere

„Sind wir hier in der Vergangenheit, Henry?“, fragte Anne. Plötzlich hielt sie die Luft an und flüsterte dann: „Philipp!“

Er sah auf.

Anne deutete auf den Hügel.

Dort stand ein riesiger Dinosaurier!

Gold im Gras

„Geh! Geh!“, rief Philipp. Er warf sein Notizbuch in den Rucksack und schob Anne auf die Strickleiter zu.

„Tschüss, Henry“, sagte sie.

„Geh!“, sagte Philipp und gab Anne einen Schubs.

„Lass das!“, sagte sie, aber sie kletterte die Leiter nach oben – und Philipp hinterher.

Keuchend stolperten sie ins Baumhaus. Sie rannten sofort zum Fenster, um nachzusehen, wo der Dinosaurier war. Er stand auf dem Hügel und fraß Blüten von einem Baum.

„Oh, Mann!“, flüsterte Philipp. „Wir sind wirklich in der Vergangenheit!“

Der Dinosaurier sah aus wie ein riesiges Nashorn. Nur dass er drei Hörner statt einem hatte. Zwei lange über den Augen und eins auf seiner Nase. Hinter seinem Kopf hatte er ein großes, schildartiges Ding.

„Triceratops!“, rief Philipp.

„Frisst er Menschen?“, fragte Anne.

„Ich schau mal nach.“ Philipp nahm das Dinosaurier-Buch und blätterte darin.

„Da!“, sagte er und deutete auf ein Bild eines Triceratops. Er las die Bildunterschrift vor.

Der Triceratops lebte zum Ende der Kreidezeit. Dieser Pflanzen fressende Dinosaurier wog über fünf Tonnen.

Philipp klappte das Buch zu. „Nur Pflanzen, kein Fleisch.“

„Komm, wir schauen ihn uns mal aus der Nähe an“, sagte Anne.

„Bist du verrückt?“, fragte Philipp.

„Willst du dir keine Notizen über ihn machen?“, fragte Anne. „Wir sind bestimmt die ersten Menschen auf der ganzen Welt, die jemals einen lebendigen Triceratops gesehen haben."

Philipp seufzte. Sie hatte ja Recht.

Er schob das Dinosaurier-Buch in seinen Rucksack, nahm ihn auf den Rücken und kletterte die Leiter nach unten. Plötzlich blieb er stehen und rief zu Anne hoch: „Versprich mir, dass du ihn nicht streicheln wirst!"

„Versprochen!"

„Versprich, ihn nicht zu küssen!"

„Versprochen!“

„Versprich, nicht mit ihm zu sprechen!“

„Versprochen!“

„Versprich, nicht ...“

„Nun geh schon weiter!“, sagte sie.

Philipp kletterte weiter. Anne hinterher.

Als sie unten ankamen, sah das Pteranodon sie freundlich an.

Anne warf ihm eine Kusshand zu. „Wir sind bald wieder da, Henry“, versprach sie fröhlich.

„Psst!“, machte Philipp und bahnte einen Pfad durch die Farne. Langsam und vorsichtig.

Am Fuß des Hügels kniete er sich hinter einen dichten Busch.

Anne kniete sich neben ihn und fing gleich an zu sprechen.

„Psst!“ Philipp legte seinen Finger an die Lippen.

Anne zog ein Gesicht.

Philipp beobachtete den Triceratops genau.

Dieser Dinosaurier war unglaublich groß. Größer als ein LKW. Im Moment fraß er die Blüten von einem Magnolien-Baum.

Philipp zog sein Notizbuch aus dem Rucksack und schrieb:

frisst Blüten

Anne gab Philipp einen Rippenstoß.

Philipp beachtete sie nicht. Er sah sich den Triceratops noch einmal sehr genau an. Dann schrieb er:

frisst langsam

Anne stieß ihn erneut unsanft an.

Philipp sah zu ihr hin.

Anne zeigte auf sich selbst und ließ ihre Finger durch die Luft spazieren. Dann deutete sie auf den Dinosaurier. Sie lächelte.

Wollte sie ihn ärgern?

Sie winkte Philipp freundlich zu.

Er wollte sie festhalten, aber sie lachte und wich ihm aus. Dabei fiel sie ins Gras. Jetzt *musste* der Dinosaurier sie sehen!

„Komm zurück!“, flüsterte Philipp.

Zu spät. Der große Dinosaurier hatte Anne bereits entdeckt. Er blickte vom Hügel herunter. Die Hälfte einer Magnolien-Blüte hing ihm noch aus dem Maul.

„Hoppla!“, sagte Anne.

„Komm zurück!“, schrie Philipp.
„Aber er sieht nett aus, Philipp!“
„Nett? Pass lieber auf seine Hörner auf, Anne!“
„Nein. Er ist nett, Philipp.“
Nett?
Der Triceratops sah ruhig auf Anne herunter. Dann drehte er sich um und trottete die andere Seite des Hügels hinab.
„Tschüss!“, rief Anne ihm hinterher. Sie drehte sich zu Philipp um und sagte: „Siehst du?“
Philipp brummte. Aber er schrieb in sein Notizbuch:

nett

„Komm, schauen wir uns noch ein bisschen um“, schlug Anne vor.

Als Philipp Anne folgte, sah er im hohen Gras etwas glitzern. Er bückte sich und hob es auf.

Es war ein Medaillon, ein goldenes Medaillon.

Ein Buchstabe war darauf eingraviert: ein verschnörkeltes M.

„Unglaublich! Da ist schon jemand vor uns hier gewesen!“, flüsterte Philipp.

Im Tal der Dinosaurier

„Anne, schau mal“, rief Philipp. „Sieh, was ich gefunden habe!“

Anne war den Hügel hinaufgeklettert. Jetzt pflückte sie Blüten vom Magnolien-Baum.

„Schau her, Anne, ein Medaillon!“

Aber Anne achtete nicht auf Philipp. Sie beobachtete etwas auf der anderen Seite des Hügels.

„Wahnsinn!“, sagte sie.

„Anne!“

Die Magnolien-Blüte an sich gepresst, rannte Anne den Hügel auf der anderen Seite hinunter.

„Anne, komm zurück!“, schrie Philipp.

Aber Anne war verschwunden.

„Eines Tages bringe ich sie um!“, murmelte Philipp wütend.

Er steckte das Medaillon in seine Hosentasche.

Da hörte er Anne kreischen.

„Anne?“

Philipp hörte noch ein zweites Geräusch. Ein tiefes, durchdringendes Geräusch, wie von einer Tuba.

„Philipp! Komm schnell!“, schrie Anne.

„Anne!“

Philipp schnappte sich seinen Rucksack und raste den Hügel hinauf. Als er oben ankam, verschlug es ihm glatt die Sprache.

Das gesamte Tal war voller Nester. Große Nester aus Erde. Und in den Nestern saßen lauter kleine Dinosaurier.

Anne hockte neben einem dieser

Nester – und über ihr stand ein gigantischer Dinosaurier mit einem Entenschnabel.

„Ganz ruhig, Anne! Nicht bewegen!“, rief Philipp. Er ging langsam den Hügel hinunter auf Anne zu.

Der riesige Dinosaurier türmte sich über Anne auf, schlug mit den Armen und machte diese seltsamen Tuba-Laute.

Philipp blieb stehen. Er wollte nicht

zu nahe herangehen. Er kniete sich auf den Boden und sagte: „So, jetzt komm zu mir her. Ganz langsam."

Anne stand auf.

„Nicht aufstehen!", rief Philipp. „Du musst krabbeln!"

Immer noch mit der Blüte in der Hand krabbelte Anne langsam auf Philipp zu.

Der Dinosaurier mit dem Entenschnabel folgte ihr. Immer noch trompetend.

Anne erstarrte.

„Krabbel weiter!“, flüsterte Philipp.

Anne krabbelte auf ihn zu. Philipp kam ihr langsam entgegen. Als er nur noch ein kleines Stück von ihr entfernt war, zog er sie an der Hand zu sich heran.

„Bleib unten!“, flüsterte er. „Senke den Kopf, und tu so, als würdest du kauen.“

„Kauen?“

„Ja“, bestätigte Philipp. „Ich habe mal gelesen, dass man das tun soll, wenn ein böser Hund einen bedroht.“

„Das ist doch kein Hund, Philipp!“, flüsterte Anne.

„Kau einfach!“, beharrte Philipp.

Philipp und Anne senkten ihre Köpfe und taten so, als würden sie kauen.

Der Dinosaurier beruhigte sich tatsächlich. Philipp hob den Kopf.

„Ich glaube, jetzt ist er nicht mehr wütend“, sagte er.

„Danke, dass du mich gerettet hast!“, sagte Anne.

„Du musst ein bisschen mehr nachdenken!“, sagte Philipp. „Du kannst doch nicht einfach zu den Jungen in den Nestern hinrennen. Bei Tierkindern ist immer die Mutter in der Nähe!“

Anne stand auf.

„Anne!“

Zu spät!

Anne hielt dem Dinosaurier die Magnolien-Blüte hin.

„Tut mir Leid, dass du dir wegen mir Sorgen um deine Jungen gemacht hast!“, sagte sie.

Der Dinosaurier kam näher und fraß Anne die Blüte aus der Hand. Dann suchte er nach mehr.

„Mehr gibt’s nicht“, sagte Anne bedauernd.

Der Dinosaurier machte ein trauriges Tuba-Geräusch.

„Aber dort oben sind noch mehr“, sagte Anne und deutete auf den Hügel. „Ich hol dir welche.“

Sie rannte den Hügel hinauf.

Der Dinosaurier watschelte ihr hinterher.

Philipp musterte die Jungen. Einige krabbelten aus ihren Nestern.

Wo wohl die anderen Mütter waren?

Philipp holte das Dinosaurier-Buch aus dem Rucksack und blätterte, bis er ein Bild von einem Dinosaurier mit Entenschnabel fand. Er las die Bildunterschrift:

Anatosaurier lebten in Gruppen. Während einige Mütter auf die Nester aufpassten, jagten die anderen.

Also mussten die anderen Mütter auch hier in der Nähe sein.

„Hey, Philipp!“, rief Anne.

Philipp sah auf. Anne war auf dem Gipfel des Hügels und fütterte den riesigen Anatosaurier mit Magnolien-Blüten.

„Er ist wirklich nett, Philipp!“, sagte Anne.

Aber plötzlich stieß der Anatosaurier wieder seinen schrecklichen Tuba-Laut aus. Anne warf sich auf die Erde und tat wieder so, als würde sie kauen.

Der Dinosaurier stürmte den Hügel hinunter. Er schien sich vor etwas zu fürchten.

Philipp legte das Buch auf den Rucksack und rannte hoch zu Anne.

„Warum ist sie bloß weggerannt?“, fragte Anne enttäuscht. „Wir hatten uns gerade miteinander angefreundet.“

Philipp sah sich um. In der Ferne sah er etwas, das ihm den Magen umdrehte.

Ein riesiges, hässliches Monster stampfte über die Ebene.

Es lief auf zwei kräftigen Beinen.

Hinter ihm schwang ein langer, dicker Schwanz hin und her. Seine Arme waren klein und schmächtig.

Sein Kopf war dafür gigantisch. Und sein Maul war weit offen. Selbst aus der Ferne konnte Philipp die langen, glänzenden Zähne erkennen.

„Ein Tyrannosaurus rex!“, flüsterte Philipp.

Auf die Plätze, fertig, los!

„Lauf, Anne! Lauf!“, schrie Philipp. „Zurück zum Baumhaus, schnell!“

Sie rannten zusammen den Hügel hinunter, kämpften sich durch das hohe Gras und die Farne und stürzten am Pteranodon vorbei zur Strickleiter. So schnell sie konnten, kletterten sie nach oben und ließen sich keuchend auf den Boden des Baumhauses fallen.

Anne schlich zum Fenster.

„Er geht wieder weg“, sagte sie, immer noch schwer atmend.

Philipp rückte seine Brille zurecht und stellte sich neben sie ans Fenster.

Der Tyrannosaurus zog weiter.

Aber dann blieb das Monster stehen und sah sich um.

„Runter!", schrie Philipp.

Sie duckten sich beide.

Nach einigen Minuten, die ihnen wie eine Ewigkeit vorkamen, hoben sie die Köpfe und spähten vorsichtig aus dem Fenster.

„Die Luft ist rein!“, sagte Philipp.

„Gut“, flüsterte Anne.

„Wir müssen hier weg!“, sagte Philipp.

„Du musst uns nach Hause wünschen – du hast uns doch auch hergewünscht“, sagte Anne.

„Ich wünsche mir, dass wir wieder zu Hause in Pepper Hill sind“, sagte Philipp.

Nichts geschah.

„Ich wünsche mir ...“

„Warte“, sagte Anne. „Beim ersten Wünschen hast du das Dinosaurier-Buch angeschaut, erinnerst du dich?“

Das Dinosaurier-Buch!

Philipp stöhnte. „Oh nein! Ich habe das Buch und meinen Rucksack bei dem Hügel liegen lassen. Ich muss noch mal zurück!“

„Du spinnst!“, sagte Anne.

„Ich muss“, widersprach Philipp. „Das Buch gehört uns doch gar nicht. Außerdem ist mein Notizbuch in dem Rucksack.“

„Dann beeil dich aber!“, sagte Anne.

Philipp kletterte die Leiter wieder nach unten. Er rannte an dem Pteranodon vorbei, durch die Farne

und das hohe Gras den Hügel hinauf. Er konnte den Rucksack und das Dinosaurier-Buch sehen.

Mittlerweile war das ganze Tal voller Anatosaurier. Alle standen wachsam bei ihren Nestern.

Wo kamen sie plötzlich alle her? Ob die Furcht vor dem Tyrannosaurus rex sie nach Hause getrieben hatte?

Philipp holte tief Luft. Auf die Plätze, fertig, los!

Er rannte den Hügel hinunter, packte seinen Rucksack, setzte ihn auf und klemmte sich das Dinosaurier-Buch unter den Arm.

Da ertönte eines dieser schrecklichen Tuba-Geräusche. Dann noch eins. Und noch eins. All die Anatosaurier schienen auf ihn zu schimpfen.

Philipp drehte sich um und rannte den Hügel wieder hinauf. Dann auf der anderen Seite wieder hinunter. Plötzlich blieb er wie angewurzelt stehen.

Der Tyrannosaurus rex stand zwischen ihm und dem Baumhaus.

Ein riesiger Schatten

Philipp versteckte sich schnell hinter dem Magnolien-Baum.

Sein Herz klopfte so heftig, dass er kaum denken konnte.

Vorsichtig wagte er einen Blick auf das gigantische Ungeheuer. Das Monster machte sein riesiges Maul auf und zu. Seine Zähne waren so groß wie Brotmesser.

„Keine Panik! Denk lieber nach!“, dachte Philipp.

Er sah nach unten, wo die Dinosaurier mit dem Entenschnabel immer noch ihre Nester bewachten. Dann blickte er wieder rüber zu dem Tyrannosaurus.

Gut. Das Ungeheuer hatte ihn offensichtlich noch nicht bemerkt.

„Keine Panik“, sagte sich Philipp immer wieder. „Ich muss nachdenken!“

Vielleicht stand ja etwas in dem Dinosaurier-Buch, das ihm weiterhalf.

Philipp suchte den Tyrannosaurus rex in dem Buch und las:

Der Tyrannosaurus rex war das größte Fleisch fressende Tier aller Zeiten. Würde er heute noch leben, könnte er einen Menschen mit einem einzigen Bissen verschlingen.

Großartig. Das half ihm auch nicht weiter.

Er könnte sich auf der anderen Seite des Hügels bei den Anatosauriern verstecken. Aber vielleicht würden die ihn zertrampeln.

Oder er könnte einfach zum Baumhaus rennen. Aber vielleicht rannte der Tyrannosaurus schneller?

Er könnte auch einfach warten. Warten, dass das Ungeheuer weiterzog.

Philipp spähte hinter dem Stamm hervor.

Der Tyrannosaurus kam näher.

Philipp sah eine Bewegung hinter dem Ungeheuer. Anne kletterte die Leiter herunter.

War sie völlig wahnsinnig geworden? Was sollte das?

Anne ging direkt auf das Pteranodon zu. Sie sprach mit ihm. Sie flatterte mit ihren Armen, deutete auf den Himmel, auf Philipp und auf das Baumhaus.

Sie war verrückt!

„Geh zurück! Klettere wieder nach oben!“, flüsterte Philipp ihr eindringlich zu.

Plötzlich hörte Philipp ein furchtbares Brüllen.

Der Tyrannosaurus blickte in seine Richtung.

Philipp warf sich zu Boden.

Der Tyrannosaurus rex kam näher.

Philipp spürte, wie der Boden bei jedem seiner Schritte erzitterte.

Was sollte er tun? Wegrennen? Zurück zu den Anatosauriern kriechen? Auf den Magnolien-Baum klettern?

Da fiel ein dunkler Schatten über Philipp. Er blickte auf.

Das Pteranodon segelte über ihm und landete direkt neben Philipp.

Ein fantastischer Ritt

Das Pteranodon starrte Philipp mit seinen klugen, wachen Augen an.

Was erwartete er von Philipp? Etwa, dass er aufstieg?

„Ich bin zu schwer!“, dachte Philipp.

„Nicht nachdenken, handeln!“

Philipp sah sich nach dem Tyrannosaurus um. Er kam den Hügel herauf, und seine enormen Zähne blitzten im Sonnenlicht.

„Okay, nicht denken, handeln!“ Philipp steckte das Buch in seinen Rucksack. Dann schwang er sich auf den Rücken des Pteranodons und hielt sich gut fest.

Der Saurier setzte sich in Bewegung. Er breitete seine Flügel aus und hob ab.

Sie schaukelten von einer Seite zur anderen. Philipp wäre beinahe heruntergefallen.

Aber das Pteranodon fand sein Gleichgewicht wieder, und sie flogen hoch in den Himmel.

Philipp sah nach unten. Der Tyrannosaurus schnappte vergeblich in die Luft.

Das Pteranodon segelte weiter, erst über den Hügel, dann über das Tal mit den vielen Nestern und den riesigen Dinosauriern mit den Entenschnäbeln.

Dann glitt das Pteranodon hinaus in die Ebene. Sie flogen über den Triceratops, der im hohen Gras stand und fraß.

Es war fantastisch, ein richtiges Wunder!

Philipp fühlte sich wie ein Vogel, leicht wie eine Feder. Sein Haar wehte im Wind, und die Luft war frisch und rein.

Philipp jauchzte und lachte. Er konnte es kaum fassen: Er ritt auf einem längst ausgestorbenen Reptil aus der Urzeit!

Das Pteranodon segelte über einen Fluss, über Wiesen mit hohem Gras, Farnen und Büschen.

Als sie zum Baumhaus zurückkamen, war vom Tyrannosaurus nichts mehr zu sehen.

Am Fuß der Eiche stieg Philipp vom Rücken des Pteranodons, und der Saurier schwang sich wieder in die Lüfte.

„Tschüss, Henry!“, flüsterte Philipp.

„Fehlt dir auch nichts?“, fragte Anne.

Philipp sah hoch zu Anne und lächelte.

„Danke“, sagte er. „Du hast mir das Leben gerettet – und es hat riesigen Spaß gemacht!“

„Komm hoch!“, rief Anne.

Philipps Knie fühlten sich an wie aus Pudding, und ihm war ein wenig schwindlig.

„Beeil dich!“, rief Anne. „Er kommt!“

Philipp drehte sich um. Der Tyrannosaurus kam direkt auf ihn zu.

Philipp hastete die Leiter hinauf.

„Schneller! Schneller!“, rief Anne von oben.

Philipp krabbelte in das Baumhaus.

„Er kommt direkt auf den Baum zu!“, schrie Anne.

Plötzlich wurde das Baumhaus von einem heftigen Aufprall erschüttert. Es erzitterte wie ein Blatt.

Philipp und Anne fielen auf die Bücher.

„Sag deinen Wunsch!“, rief Anne.

„Wir brauchen das Buch! Das mit dem Bild von Pepper Hill!“, Philipp sah sich um. „Wo ist es denn?“

Er schob einige Bücher beiseite. Er musste dieses Buch finden! Da war es!

Hastig suchte er nach dem Foto von Pepper Hill. Da war es.

Philipp deutete auf das Bild und rief: „Ich wünsche mir, wieder nach Hause zu kommen.“

Der Wind begann wieder zu pfeifen, ganz sachte zunächst.

„Schneller!“, rief Philipp.

Der Wind wurde stärker. Dann heulte er mit voller Kraft.

Das Baumhaus begann, sich zu drehen. Schneller und schneller.

Philipp schloss die Augen und klammerte sich an Anne.

Dann war alles still.

Totenstill.

Wieder zu Hause

Ein Vogel sang.

Philipp öffnete die Augen. Er deutete immer noch auf das Bild von Pepper Hill.

Vorsichtig spähte er aus dem Fenster. Draußen sah es aus wie auf dem Foto.

„Wir sind wieder zu Hause!“, flüsterte Anne.

Die Bäume leuchteten in der goldenen Spätnachmittags-Sonne. Es war kurz vor Sonnenuntergang.

Hier war keine Sekunde vergangen, während sie weg gewesen waren.

„Phi-lipp! An-ne!“, rief jemand in der Ferne.

„Das ist Mama“, sagte Anne und deutete in die Richtung, aus der die Stimme kam.

Philipp sah ihre Mutter vor dem Haus stehen. Sie sah winzig aus.

„Phi-lipp! An-ne!“, rief sie wieder.

Anne streckte ihren Kopf aus dem Fenster und schrie: „Wir kommen!“

Philipp war noch ganz benommen. Er starrte Anne an.

„Was ist eigentlich passiert?“, fragte er.

„Wir sind mit dem magischen Baumhaus verreist“, antwortete Anne, als ob das die normalste Sache der Welt wäre.

„Aber es ist überhaupt nicht später, als es war, als wir abgereist sind.“

Anne zuckte mit den Schultern.

„Überhaupt, wie konnte uns das Baumhaus so weit wegbringen?“, fragte Philipp. „Und so weit in die Vergangenheit?“

„Du hast dir dieses Buch angesehen und dir gewünscht, dass wir auch dort sein könnten“, antwortete Anne. „Dann hat das magische Baumhaus uns dorthin gebracht.“

„Aber wie?“, wollte Philipp wissen. „Und wer hat dieses Baumhaus überhaupt gebaut? Wer hat all die Bücher hier reingelegt?“

„Ein Zauberer oder ein Magier wahrscheinlich“, vermutete Anne.

Ein Magier?

„Ach, guck mal“, sagte Philipp. „Das habe ich fast vergessen.“ Er griff in seine Hosentasche und holte das goldene Medaillon heraus. „Das muss jemand dort vergessen haben in ... im Dinosaurier-Land. Schau, da ist ein M drauf.“

Anne bekam ganz große Augen.

„Und du glaubst, dieses M steht für Magier?“, fragte sie.

„Ich weiß auch nicht“, antwortete Philipp. „Aber es ist sicher, dass vor uns schon mal jemand dort war.“

„Phi-lipp! An-ne!“, rief ihre Mutter wieder.

„Wir kommen!“, rief Anne zurück.

Philipp steckte das Medaillon wieder in seine Hosentasche.

Er holte das Dinosaurier-Buch aus seinem Rucksack und legte es zurück zu den anderen Büchern.

Anne und er sahen sich noch einmal im Baumhaus um.

„Tschüss, Baumhaus!“, flüsterte Anne.

Dann schwang sich Philipp seinen Rucksack auf den Rücken und deutete auf die Leiter. Anne kletterte zuerst hinunter.

Wenig später standen sie wieder auf dem Waldboden und gingen nach Hause.

„Die Geschichte glaubt uns garantiert keiner“, sagte Philipp.

„Dann erzählen wir sie lieber niemandem“, meinte Anne.

„Papa würde das nie glauben!“, meinte Philipp.

„Er würde sagen, es sei ein Traum gewesen.“

„Mama würde es auch nicht glauben.“

„Sie würde sagen, wir hätten uns das nur ausgedacht“, stimmte Anne ihrem Bruder zu.

„Meine Lehrerin würde es erst recht nicht glauben“, sagte Philipp.

„Sie würde sagen, du bist übergeschnappt.“

„Dann erzählen wir besser niemandem davon!“, meinte Philipp.

„Hab ich doch gleich gesagt“, sagte Anne.

Philipp seufzte. „Ich fürchte, ich glaube es so langsam selbst nicht mehr.“

Sie hatten den Wald verlassen und liefen nun die Straße entlang. Als sie an all den Häusern und Gärten vorübergingen, erschien ihnen die Reise zu den Dinosauriern zunehmend wie ein Traum. Nur *diese* Zeit und nur *diese* Welt hier waren wirklich. Philipp fasste in seine Hosentasche und berührte das goldene Medaillon. Er strich über den eingravierten Buchstaben. Das M kitzelte an seinen Fingern.

Philipp musste lachen. Plötzlich war er ungeheuer froh.

Er konnte sich nicht erklären, was heute geschehen war. Aber jetzt war er sich wieder ganz sicher, dass die Reise in dem magischen Baumhaus wirklich stattgefunden hatte.

Absolut sicher.

„Morgen“, flüsterte Philipp, „kommen wir wieder!“

„Auf jeden Fall!“, sagte Anne entschlossen.

„Ich bin neugierig, was dann passiert.“

„Ich auch!“, sagte Anne. „Wer zuerst daheim ist!“

Sie rannten los. – Zurück nach Hause.

Mary Pope Osborne lernte schon als Kind viele Länder kennen. Mit ihrer Familie lebte sie in Österreich, Oklahoma, Florida und anderswo in Amerika. Nach ihrem Studium zog es sie wieder in die Ferne, und sie reiste viele Monate durch Asien. Schließlich begann sie zu schreiben und war damit außerordentlich erfolgreich. Bis heute sind schon über vierzig Bücher von Mary Pope Osborne erschienen. *Das magische Baumhaus* ist in den USA eine der beliebtesten Kinderbuchreihen.

Jutta Knipping, geboren 1968, hat erst eine Ausbildung zur Druckvorlagenherstellerin absolviert, bevor sie in Münster Visuelle Kommunikation studierte. Schon während ihres Studiums hat sie erste Bücher illustriert. Mittlerweile ist sie freiberuflich als Grafik-Designerin und Illustratorin tätig. Jutta Knipping lebt mit ihrem Mann in der Nähe von Osnabrück und lässt sich von ihrem Kater Momo gern bei der Arbeit zugucken.

Komm mit auf die Reise im magischen Baumhaus!

Rätselhafte Abenteuer in fremden Welten und längst vergangenen Zeiten erwarten dich in allen Bänden!

Band 2

Band 3

Band 4

Band 5

Band 6

Band 7

Band 8

Band 9

Band 10